2a edición

Mi Libro Mágico®

Método ecléctico de lectura y escritura
que incluye letra script y cursiva

Carmen Espinosa Elenes de Álvarez
Procedimiento patentado de calcado para
enseñar a leer escribiendo

Texto aprobado por la Secretaría de Educación Pública

Coautores de la presente edición:

Gabriel Gerardo Álvarez Espinosa
María del Carmen Álvarez Espinosa
María Elizabeth Álvarez Espinosa
Ana María Álvarez Espinosa

NORI

NORIEGA EDITORES

COORDINADORA DE LA EDICIÓN
MA. DE LOS ÁNGELES NORIEGA DE KURI, MDG

ILUSTRADOR:
BENJAMÍN CLEMENTE LLANOS PATIÑO

CALIGRAFÍA POR
OLIVA TREJO LÓPEZ

© 1999, EDITORIAL LIMUSA, S.A. DE C.V.
GRUPO NORIEGA EDITORES
BALDERAS 95, MÉXICO, D.F.
C.P. 06040

☎ 521-21-05
91(800) 7-06-91
📠 512-2903

💻 cnoriega@mail.internet.com.mx

CANIEM NÚM. 121

TERCERA REIMPRESIÓN DE LA
SEGUNDA EDICIÓN

HECHO EN MÉXICO
ISBN 968-18-5468-3

Spell in p. 39/40
grammer p. 35

Test Friday
"Study"!

A MIS COMPAÑEROS PROFESORES

Al tratar de dar a conocer por medio de este libro mi experiencia, adquirida en muchos años de trabajo como profesora de primer año escolar, y mis observaciones en la enseñanza de la lectura y escritura, me anima el deseo de contribuir a la campaña contra el analfabetismo y de ser posible facilitar la tarea diaria a mis compañeros.

Antes que nada quiero distinguir para ustedes los dos nombres de este libro.

Método Ecléctico es aquél que reúne todos los métodos, tomando lo bueno de cada uno de ellos

Sistema de calcado para enseñar a leer escribiendo consiste en variados ejercicios de calcado para fijar en la mente del niño la ortografía y caligrafía de las palabras.

Con el sencillo procedimiento de ejercicios de calcado que el libro contiene, a mi juicio se logran diversos resultados, todos benéficos para la enseñanza de las primeras letras:

- Mayor rapidez en dicha enseñanza.
- Base firme en los conocimientos que gradualmente van adquiriendo los alumnos, niños y adultos
- Mayor atención, basada en el interés y aun la curiosidad por el sistema y, por consecuencia, notable disciplina y homogeneidad en el grupo.
- Coordinación en los movimientos musculares y memoria visual.

Además de los anteriores se logran sorprendentes resultados referentes a la caligrafía y al desarrollo de los conocimientos ortográficos: los alumnos ejercitan continuamente su memoria visual y los movimientos musculares.

Estos resultados experimentados por mí se basan en que los primeros conocimientos de la lectura los adquieren los alumnos, antes que por los oídos y los ojos, por el mecanismo mental de los movimientos musculares; luego, coordinando con la vista la atención en los ejercicios de calcado y con el oído en el dictado, he podido comprobar que la enseñanza así adquirida se graba de tal forma que su recuerdo perdura.

El método de calcado, teniendo siempre como base de la lectura la escritura, busca entregar al alumno una serie de estímulos que logren la asociación mnemotécnica del sonido de la letra con su correspondiente ilustración, derivando esta última, tal y como se aconseja dentro de todas las metodologías de la enseñanza de lecto-escritura, de un cuentecillo, producto de la imaginación del buen maestro considerando los intereses del niño.

A continuación y solamente como simple ejemplificación, dejando a los maestros la multiplicidad y variabilidad de dichas ilustraciones, presentamos las siguientes:

Cuando el alumno adquiere el conocimiento de las letras que forman una palabra, no sufre error alguno al escribirla ni al leerla; por esta razón hay que procurar que se grabe en la mente del niño la forma de la letra, uniéndola con el sonido. Ésa es la razón por la que mi método consiste en la realización de ejercicios de calcado y dictado. Sugiero se pidan al alumno hojas extras del mismo papel copia que contiene el libro para que repita mayor número de veces los ejercicios.

El libro contiene, en primer término, lecciones de enseñanza de las letras, después, la afirmación de ese conocimiento que servirá para dictado y copia y, por último, ejercicios de lectura de comprensión que servirán de prueba.

Es indiscutible que cada maestro tiene un método propio de enseñanza y que lo emplea según las circunstancias de cada grupo.

He llamado a mi libro Método Ecléctico porque creo que se puede adaptar a todos los métodos, pudiendo usarse el que sea más del agrado del maestro.

Yo sugiero tomar del Método Onomatopéyico su técnica para enseñar las siguientes letras: vocales, en primer lugar, y en seguida: S, T, J, R, C (sonido fuerte), Q, N, D, B, Ll, Y, W, X, Z, K, H, Ch.

Del Método Rébsamen, su técnica para estas palabras: mamá, papá, faro, nido, Lupe o lima, Tito, tamal, charro, gato, vaca.

Usando el método que usted prefiera, sugiero enseñar las letras en sus cuatro aspectos: minúsculas y mayúsculas, cursiva o ligada y script, y además, dibujos que se asemejen a la forma de la letra.

Al poner en manos de mis compañeros maestros el producto de mi esfuerzo como una pequeña contribución a la enseñanza, lo hago con la mente y corazón plenos de ternura por el recuerdo de mis padres y con el anhelo siempre insatisfecho de ser útil a nuestra querida patria.

LA AUTORA

PRÓLOGO A LA SEGUNDA EDICIÓN

Para muchos de los que hoy tenemos menos de cincuenta años, el recuerdo de Mi Libro Mágico, como uno de los primeros libros que tuvimos en nuestra infancia, es algo permanente. Antes de Mi Libro Mágico los libros no eran para "rayarlos". Así, tener en las manos un libro que calcando nos enseñaba a leer y a escribir fue una experiencia inolvidable.

El método de calcado demostró desde el primer día que era la mejor manera para hacer que surgiera en el niño el gusto por la lectura y la escritura.

Cuando en 1959 se creó la Comisión Nacional del Libro de Texto Gratuito, con la idea de proporcionar libros a todos los niños del país, desapareció la mayoría de los títulos existentes hasta entonces dedicados a la enseñanza primaria. Mi Libro Mágico siguió contando con la preferencia de los maestros de enseñanza primaria, tal vez porque la creadora de esta obra era una profesora con una vasta experiencia y por su método de enseñanza tan singular y visionario.

No sin dificultades, Mi Libro Mágico se abrió camino poco a poco buscando nuevas formas de enfrentarse a la competencia de otros libros, así como a la nueva tecnología, televisión y medios audiovisuales, que cada día era más llamativa.

Mi Libro Mágico fue tomando el papel de líder. El comentario de boca en boca fue la mejor manera de promoverlo.

Durante todo este tiempo el libro ha tenido una gran virtud: responde a un método (ecléctico le llamó la autora) que le ha permitido transitar por los diversos programas de estudio de la Secretaría de Educación. Si bien se inició como un libro que buscaba que los niños aprendieran a leer escribiendo con letra cursiva, después de la reforma de 1972, se le adicionó un apartado para aprender a leer escribiendo con letra de molde (script).

Después de la reforma de 1992, el libro ocupa en la actualidad su punto más alto, ya que tanto la letra cursiva como la script forman parte del proceso de enseñanza-aprendizaje en las escuelas.

Hoy nos es grato informar que Mi Libro Mágico se reafirma y, mejorado, lo presentamos en una nueva edición. Es el mismo libro, sigue la misma metodología, persigue el mismo fin: aprender a leer escribiendo. Las correcciones aplicadas, como integrar en letra script y cursiva las lecturas, los ejercicios y las afirmaciones en una misma página capacitan desde el primer momento a nuestros niños en lecto-escritura.

Creemos que éste será el libro del próximo siglo; libro que será un grato recuerdo para nuestros niños y nietos, como ahora lo es para nosotros.

LOS EDITORES.

ESTRUCTURA DIDÁCTICA

Para lograr el objetivo propuesto, dominar la lectura y la escritura en letra script y cursiva, el libro se divide en dos partes. Al inicio de la primera parte, la más importante, se han ubicado ejercicios de maduración para que los alumnos y maestros reafirmen el grado de pronación en los trazos básicos de la escritura. Siguen lecciones en las que intervienen cada una de las consonantes formando sílabas simples, primero, y sílabas compuestas, posteriormente. Aunque en el abecedario se omite la Ch y la Ll como letras, hay una lección para el conocimiento y uso de éstas.

El estudio de cada letra se efectúa primero con un trazo inicial tanto de la letra script, en la página izquierda, como de la letra cursiva en la página derecha. Ambas con su correspondiente hoja de calcado. Las oraciones en letra script son las mismas que en letra cursiva y las letras son de dimensiones tales que el niño puede trabajar cómodamente con ellas.

Los ejercicios de cada letra están apoyados con actividades de afirmación y lectura en silencio enfocadas principalmente al dominio de la letra script y cursiva, de manera reflexiva y agradable.

La segunda parte está integrada por una serie de lecturas cuidadosamente elaboradas que refuerzan las habilidades y los conocimientos adquiridos.

La nueva estructura de MI LIBRO MÁGICO responde a la necesidad de conocer las letras script y cursiva, y aprender a escribir de manera simultánea con ambos tipos de letra en los tamaños adecuados y acordes con los criterios didácticos para lograr una escritura correcta.

PRIMERA PARTE

Aa

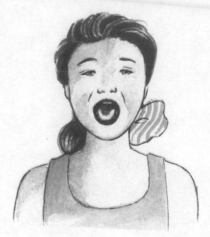

| | | | | | | | | | | | |

O | O | O | O | O | O | O | O | O | O

| O | O | O | O | O | O | O | O | O |

a a a a a a a a a a a a

aa aa aa aa aa aa aa aa

A A A A A A A A A A A

Aa Aa Aa Aa Aa

| | | | | | | | | | | | | | |

O | O | O | O | O | O | O | O | O | O | O | O | O

| O | O | O | O | O | O | O | O | O | O | O | O |

d d d d d d d d d d d d d

aa aa aa aa aa aa aa

A A A A A A A A A A A

Aa Aa Aa Aa Aa

Aa Aa Aa

a a a a a a a a a

a a a a a a a a a a a

a a a a a a

a

Aa Aa Aa Aa Aa

$\mathscr{A}$ a A a

𝑜 𝑜 𝑜 𝑜 𝑜 𝑜 𝑜 𝑜 𝑜 𝑜

𝑜 𝑜 𝑜 𝑜 𝑜 𝑜 𝑜 𝑜 𝑜 𝑜 𝑜 𝑜 𝑜 𝑜

𝑜 𝑜 𝑜 𝑜 𝑜 𝑜 𝑜 𝑜 𝑜 𝑜

𝑛 𝑛 𝑛 𝑛 𝑛 𝑛 𝑛

𝑜𝑛 𝑜𝑛 𝑜𝑛 𝑜𝑛 𝑜𝑛 𝑜𝑛

𝑜𝑛 𝑜𝑛 𝑜𝑛 𝑜𝑛 𝑜𝑛 𝑜𝑛 𝑜𝑛 𝑜𝑛

𝑎 𝑎 𝑎 𝑎 𝑎 𝑎 𝑎 𝑎 𝑎 𝑎

𝑎𝑎 𝑎𝑎 𝑎𝑎 𝑎𝑎 𝑎𝑎 𝑎𝑎 𝑎𝑎 𝑎𝑎 𝑎𝑎 𝑎𝑎

𝒜 𝒜 𝒜 𝒜 𝒜 𝒜 𝒜 𝒜 𝒜 𝒜

𝒜𝑎 𝒜𝑎 𝒜𝑎 𝒜𝑎 𝒜𝑎 𝒜𝑎 𝒜𝑎 𝒜𝑎 𝒜𝑎 𝒜𝑎

Uu

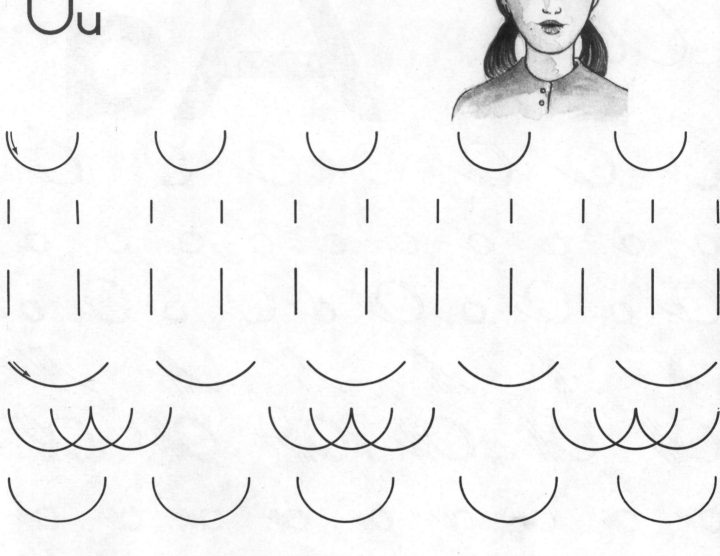

и

И и   **Ич**

Ич Ич Ич Ич

Ич Ич Ич Ич

Ич Ич Ич Ич

ишишиш ишишиш ишишиш

О О О О О О О О О

О ш О ш О ш О ш О ш

и и и и и и и и и

ши ши ши ши ши ши ши

И И И И И И И И

Ич Ич Ич Ич Ич И

Ee

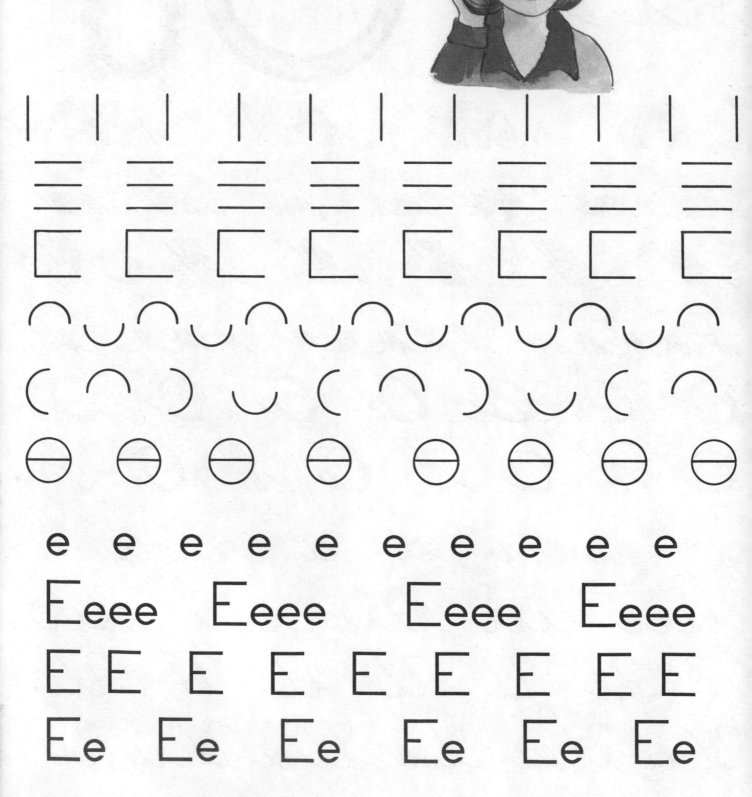

| | | | | | | | | | |

Ⴀ Ⴀ Ⴀ Ⴀ Ⴀ Ⴀ Ⴀ Ⴀ Ⴀ Ⴀ

e e e e e e e e e e e e

Eeee Eeee Eeee Eeee

E E E E E E E E E E

Ee Ee Ee Ee Ee Ee

14

E l

Ee

o o o o o o o o o

o o o o o o o o o o o o

8 8 8 8 8 8 8 8 8

llll llll llll llll

llll llll llll llll

El El El El El El El El El

l l l l l l l l l l l l

Elll Elll Elll Elll

E E E E E E E E E E E

El El El El El El El El

Ii

| | | | | | | | | | | | | |

| | | | | | | | | | | | | | | | | | | | | | | | |

iii   iii   iii   iii   iii   iii

i i i i i i i i i i i i i

I I I I I I I I I I I I

Ii   Ii   Ii   Ii   Ii   Ii   Ii

16

Ii

iii   iii   iii   iii   iii   iii

Ii   Ii   Ii   Ii   Ii   Ii   Ii

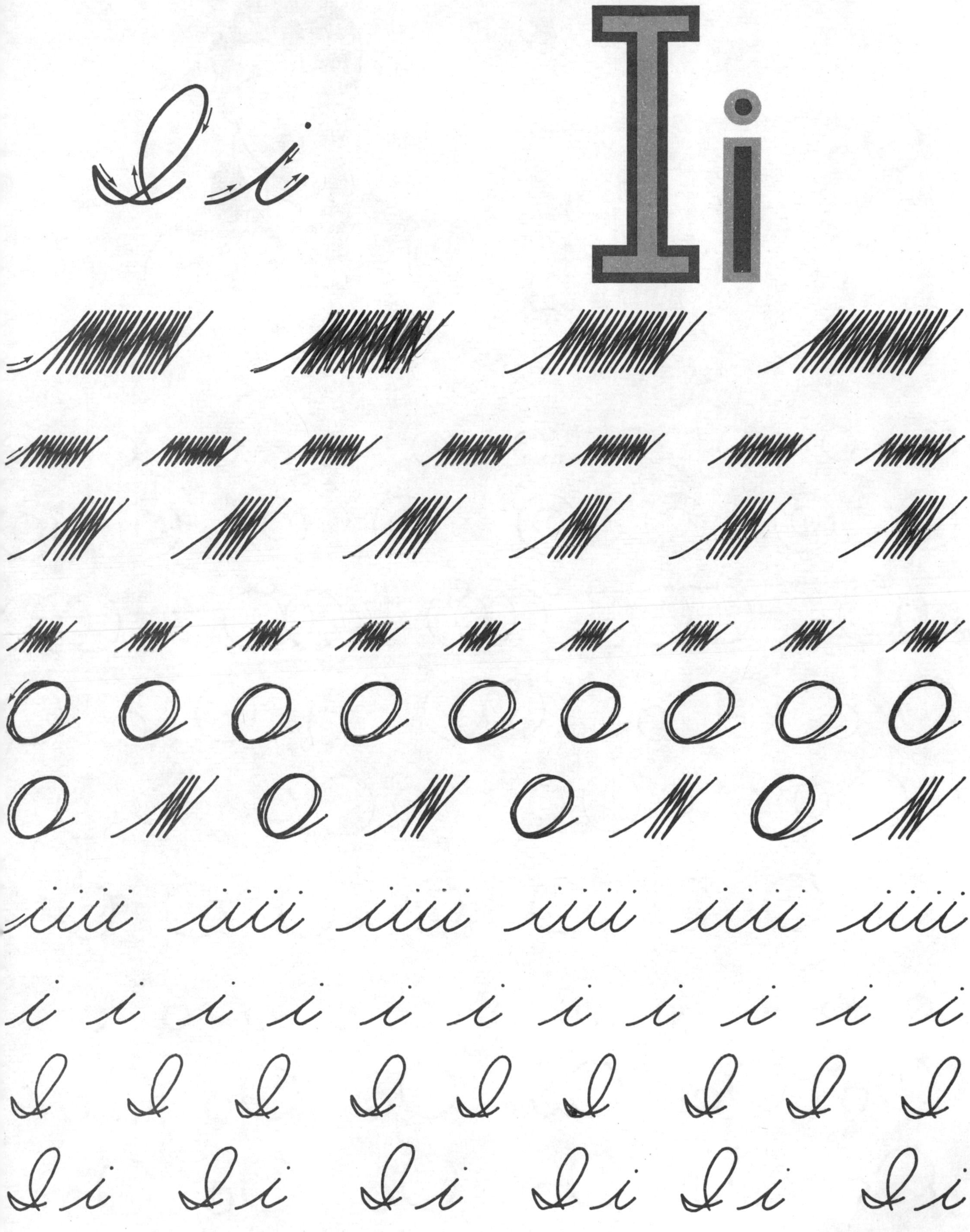

O o

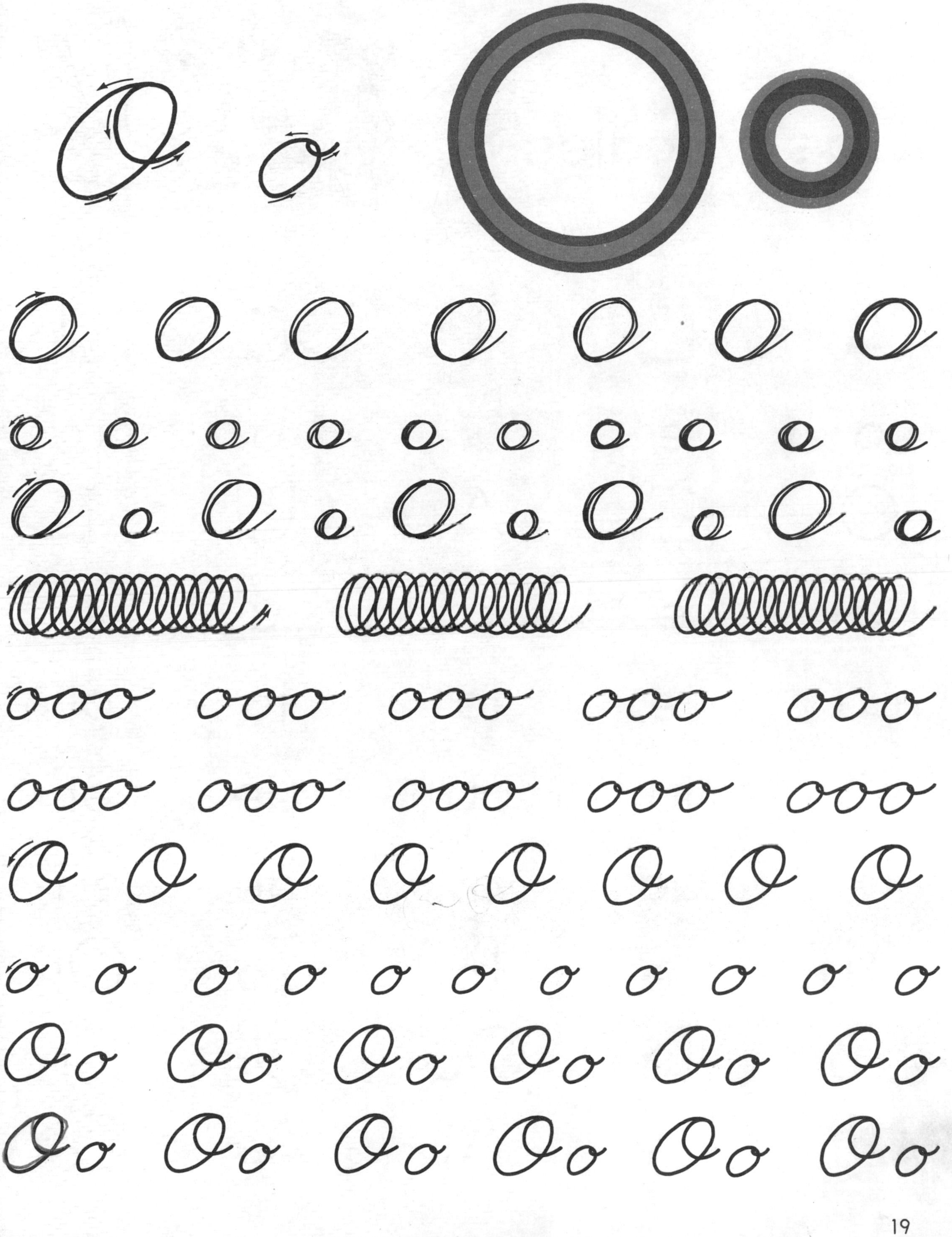

Las vocales

A	E	I	O	U
a	e	i	o	u
O	E	A	U	I
o	e	a	u	i
au	ie	ia	io	oi
eu	iu	ou	ue	ei
ui	ua	ai	ae	ea
Au	Ie	Ia	Io	Oi
Eu	Iu	Ou	Ue	Ei
Ui	Ua	Ai	Ae	Ea

Aa Ee Ii Oo

Uu Las vocales

A E I O U

a e i o u

O E A U I

o e a u i

au e io io oi

eu iu ou ue ii

ui ua ai ae ea

Au Ie Ia Io Oi

Eu Iu Ou Uo Ei

Ui Ua Ai Ae Ea

Las vocales

A	E	I	O	U
a	e	i	o	u
O	E	A	U	I
o	e	a	u	i
au	ie	ia	io	oi
eu	iu	ou	ue	ei
ui	ua	ai	ae	ea
Au	Ie	Ia	Io	Oi
Eu	Iu	Ou	Ue	Ei
Ui	Ua	Ai	Ae	Ea

21

Mamá

ma   me   mi   mo   mu

MA ME MI MO MU

mamá Memo Ema

Mimí amo ama mima

mami mío mía mimo

Ema ama a mamá.

Memo ama a mamá.

Amo a mi mamá.

Mi mamá me mima.

Mamá mima a Mimí.

22

Mamá

ma   me   mi   mo   mu
MA ME MI MO MU
     mamá Memo Ema
  Mimí amo ama mima
  mami mio mia mimo
Ema ama a mamá.
Memo ama a mamá
Amo a mi mamá
Mi mamá me mima
Mamá mima a Mimí

M m Mamá

ma me mi mo mu
Ma Me Mi Mo Mu
mama Memo Ema
Mimí amo ama mima
mami mío mía memo
Emo ama a mamá
Memo ama a mamá
Amo a mi mamá
Mi mamá me mima,
Mamá mima a Mimí

M m   Mamá

ma   me   mi   mo   mu

Ma   Me   Mi   Mo   Mu

mamá   Memo   Ema

Mimí   amo   ama   mima

mami   mío   mía   mimo

Ema ama a mamá.

Memo ama a mamá.

Amo a mi mamá.

Mi mamá me mima.

Mamá mima a Mimí.

Afirmación de la M

1. Memo, Mimí, Ema.
2. Amo a mi Mamá.
3. Mi mamá me ama.
4. Memo ama a mamá.
5. Ema ama a mamá.
6. Mamá mía.
7. Mi mamá.
8. Me ama mamá.
9. Mimí ama a mamá.
10. Mimí ama a mi mamá.

Lectura en silencio

Escribe con letra cursiva lo que dice cada una de las palabras que están en esta hoja; hazlo en las líneas que están debajo de cada palabra.

1. Mamá

   Mamá

2. Ema

   Ema   mi mamá

3. Memo

   Memo

4. Mimí

   mimí

5. Mamá ama a Memo.

   mamá ama a Memo

Susú

sa   si   su   so   se

Sa   Si   Su   So   Se

as   is   us   os   es

As   Is   Us   Os   Es

usa así mesa oso asa

Susú es mía.

Ésa es Susú.

Así es Susú.

Ésa es mi mamá.

Usa esa mesa.

$S\ s$

sa   si   su   so   se

So   Si   Su

as   is   us   os

S s Susú

sa   si   su   so   se

Sa   Si   Su   So   Se

as   is   us   os   es

As   Is   Us   Os   Es

usa así mesa oso asa

Susú es mía.

Ésa es Susú.

Así es Susú.

Ésa es mi mamá.

Usa esa mesa.

Afirmación de la S

1. Ema ama a Susú.

2. Ésa es Susú.

3. Así es Susú.

4. Así es mi oso.

5. Usa esa asa.

6. Sí es Mimí.

7. Mamá amasa.

8. Usa esa mesa.

9. Ema es ésa.

10. Mi oso es ese.

Lectura en silencio

Une con una línea la palabra y la figura correspondiente.

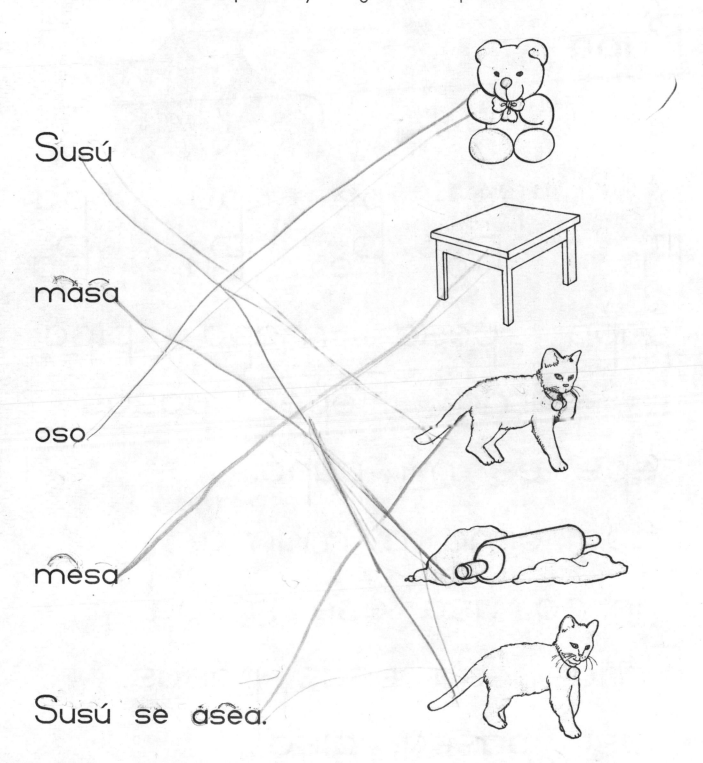

Susú

masa

oso

mesa

Susú se asea.

Papá

pi   po   pe   pu   pa

Pi   Po   Pe   Pu   Pa

papá   pesa   mapa   pipa

espuma   Pepe   pasas

Pepe es mi papá.

Papá ama a mamá.

Memo usa ese mapa.

Ema pesa esas pasas.

Susú pasea, pisa

esa espuma.

p

pi   po   pe

P p

Papá

pi po pe pu pa

Pi Po Pe Pu Pa

papa pesa mapa pipa

espuma Pepe pasas

Pepe es mi papá.

Papá ama a mamá.

Memo usa ese mapa.

Ema pesa esas pasas.

Susú pasea, pisa

esa espuma.

Afirmación de la P

1. Pepe pisa ese oso.
2. Papá ama a mamá.
3. Mamá ama a papá.
4. Pasa Memo. Pasa Ema.
5. Esa pipa es mía.
6. Papá suma.
7. Pesa esas pasas.
8. Ese mapa es mío.
9. Esas pasas.
10. Puma, Pepe, Popo, pipa.

Lectura en silencio

Escribe sobre la línea el nombre correspondiente de cada dibujo.

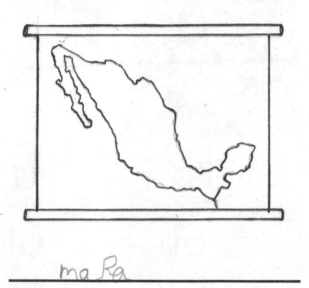

ma Ra

RaRá

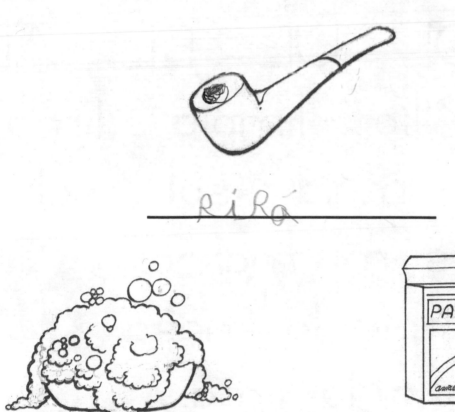

RiRá

ESRuma

RaSaS

Lupe

el

TAREA

la	le	li	lo	lu
el	al	il	ol	ul
La	Le	Lo	Li	Lu
IL	OL	UL	EL	AL

Lola lío limpia lima

sola mala sol sal

Lupe es mi mamá.

Lola limpia la mesa.

Ema pela la lima.

Lulú pesa sola la masa.

L L

L l   *Lupe*

la   le   li   lo   lu
el   al   il   ol   ul
La   Le   Lo   Li   Lu
Il   Ol   Ul   El   Al
Lola lío limpia lima
sola mala sol sal
Lupe es mi mamá.
Lola limpia la mesa.
Ema pela la lima.
Lulú pesa sola la masa.

Afirmación de la L

TAREA
Para
el miércoles

1. Lila, Lola, Lilí, Lulú.

2. La pala es mía.

3. Memo usa la pala.

4. Ema pela la lima.

5. La lima es así.

6. La sala es ésa.

7. Mimí sale.

8. El palo. La pala.

9. Lupe sale sola.

10. Las alas. El ala.

Lectura en silencio

Haz un dibujo que corresponda a las palabras siguientes en el lugar que está a la derecha de cada una de ellas.

Las limas

Lupe

Lalo

El sol

La pala

Tito

ta   te   ti   to   tu

Ta   Te   Ti   To   Tu

mete pato toma Tomás

Tito lata pelota atole

Mi tío Tito tomó seis
tamales.

Mamá, el tamal es mío.

La pelota se salió al
patio.

Tomás mete la pelota.

T t

T t   Tito

ta   te   ti   to   tu

Ta   Te   Ti   To   Tu

mete   pato   toma   Tomás

Tito   lata   pelota   atole

Mi tío Tito tomó seis

tamales.

Mamá, el tamal es mío.

La pelota se salió al

patio.

Tomás mete la pelota.

1. Papá toma atole.

2. Tomás sale al patio.

3. Las latas. Los tomates.

4. Tito es mi tío.

5. La pelota es mía.

6. *Susú se asusta.*

7. *Tu tamal es éste.*

8. *Esa alita está mala.*

9. *Esta tela es mía.*

10. *Tía, toma tila.*

Lectura en silencio

Une con una línea la palabra y la figura correspondiente.

La pelota

Las latas

Tito

El pato

Los seis tamales

Dodi

Da	De	Di	Do	Du
da	de	di	do	du
lodo	dame	dale	duele	
Dodi	dalia	dado	todo	

Dodi es de Memo.

Mamá le da sopa.

¡Toma toda la sopa!

Delia, dame esos dos

dedales.

Dodi pisa el lodo.

Ad

D d   Dodi

Da De Di Do Du
da de di do du
lodo dame dale duele
Dodi dalia dado todo
Dodi es de Memo.
Mamá le da sopa.
¡Toma toda la sopa!
Delia, dame esos dos
dedales.
Dodi pisa el lodo.

Afirmación de la D

1. Dame las limas.

2. Todo está listo.

3. Dodi pisa el lodo.

4. Memo, dame ese papel.

5. Tito, Delia, Dalia.

6. *Este dado es de lodo.*

7. *Toda la sopa es mía.*

8. *La dama está a la moda.*

9. *Mamá, dame esa lima.*

10. *Duda, dedo, dame, dime.*

Lectura en silencio

Escribe, con letra cursiva, el nombre de cada figura en la línea.

Dadí

dedal

rosa

dado

niña

La nena

na	ne	ni	no	nu
Na	Ne	Ni	No	Nu
en	un	in	on	an
nena	anita	piano	uno	
nata	unas	nudos	una	

Anita es una nena linda.

Pide pan a la nana.

Lupe se lo da.

El pan es de nata.

Ana, no des pan a Dodi.

$\mathcal{N}$ n

N n   La nena

na   ne   ni   no   nu

Na   Ne   Ni   No   Nu

en   un   in   on   an

nena   Anita   piano   iuno

nata   unas   nudos   una

Anita es una nena

linda. Pide pan a la

nana, Lupe se lo da.

El pan es de nata.

Ana, no des pan a Dodi.

Afirmación de la N

1. El piano es de Mimí.
2. El nene no pisa el suelo.
3. Nina toma nata.
4. El pan es mío.
5. ¿Tiene pan Lola?
6. Tanto así.
7. No, ésta es una tuna.
8. Unos nenes toman las tunas.
9. Titina no es lenta.
10. Ésas son mis nenas.

Lectura en silencio

Para que puedas leer correctamente las siguientes oraciones complétalas escribiendo sobre las líneas una de las palabras que están abajo.

1.- _____ es una nena linda.

2.- Pide pan a la _____.

3.- _____ toma nata.

4.- Ésas son mis _____.

5.- Lola tiene _____.

nana   Anita   Nina

nenas   pan

El rorro

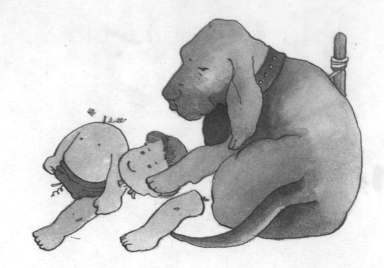

ra   re   ri   ro   ru

Ra   Re   Ri   Ro   Ru

ramo   Rosa   perro   radio

torre   ruso   rorro   tarro

Ese perrito es Dodi.

El perro rompió el rorro

de Rosita y Memo lo

amarró por rompelón.

Rita toma el rorro; está

roto y tiene tierra.

Rr

R r El rorro

ra   re   ri   ro   ru
Ra   Re   Ri   Ro   Ru
ramo Rosa perro radio
torre ruso rorro tarro.
Ese perrito es Dodi.
El perro rompió el rorro
de Rosita y Memo lo
amarró por rompelón.
Rita toma el rorro; está
roto y tiene tierra.

Afirmación de la rr

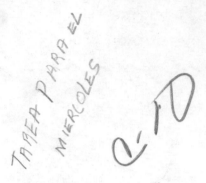

1. Ese rorro de Rosita es ruso, está roto y da risa.
2. Ese perrito tan rompelón sólo puede estar amarrado.
3. Memo se ríe.
4. Esa risa es de Memo.
5. Ramiro pide rosas a Raúl Torres.
6. Las rosas son para mamá.

Lectura en silencio

El nombre de las figuras se encuentra al pie de la página.
Al lado de cada figura escribe el número que tiene su nombre.

1. El rorro   2. El carro   3. La torre
4. La rueda   5. Rita

Los aretes

Ar   Ur   Ir   Er   Or

aro   arete   oro   para

pera   pero   toro   ira

Ese par de aretes es
para Laura.
Tienen sólo un aro
de oro. ¡Míralos!
Teresa puede darte un
par para María;
pero todo de oro.

Los aretes

Ar   Ur   Ir   Er   Or
aro   arete   oro   para
pera   pero   toro   ira
Ese par de aretes es
para Laura.
Tienen sólo un aro
de oro. ¡Míralos!
Teresa puede darte un
par para María;
pero todo de oro.

Afirmación de la r

1. Los aretes de oro.
2. El toro está amarrado.
3. Los aros para Laura.
4. Las peras de Lalo.
5. Tira las peras.
6. Lalo toma la pata del loro.
7. El loro es para mí.
8. La enredadera está rota.
9. Ese lirio es morado.
10. Mira ese arete.

Lectura en silencio

Escribe los nombres de cada figura sobre la línea.

voro

caguedas

Perico

dera

La niña

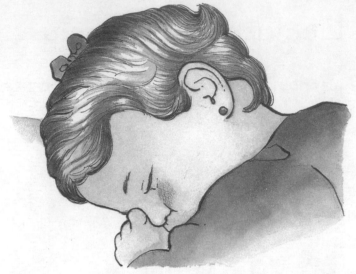

ña   ñe   ñi   ño   ñu

Ña   Ñe   Ñi   Ño   Ñu

año   uña   moño   daño

maña   piña   Toña   ñú

La niña tiene un año.

Rosa le pone un moño.

Toño le enseña una

araña, la niña se

asusta.

Tiene sueño. ¡Duérmela!

Ñ ñ   La niña

ña   ñe   ñi   ño   ñu
Ña   Ñe   Ñi   Ño   Ñu
año   uña   moño   daño
maña   piña   Toña   ñú
La niña tiene un año.
Rosa le pone un moño.
Toño le enseña una
araña, la niña se
asusta.
Tiene sueño. ¡Duérmela!

Afirmación de la ñ

1. El moño es de la niña.

2. Esa niña no tiene moños.

3. Las uñas están limpias.

4. El niño tiene un año.

5. Toñito está soñando.

6. La niña tiene sueño.

7. La niña sueña.

8. Las cañas son de Toño.

9. La araña me asusta.

10. La niñera es ésta.

Lectura en silencio

Completa las frases siguientes con las palabras de abajo.

1. La _niña_ tiene un _moño_.

2. Rosa le pone un _año_.

3. _Toño_ le enseña una _araña_.

4. Tiene _sueño_.

moño   sueño   Toño

araña   niña   año

Paco

ca   que   qui   co   cu

Ca   Que   Qui   Co   Cu

cara   quema   Quico   col

cuna   casa   queso   quiso

Paco está en la casa.

Queta le dio un carrito y

Quico quiere quitárselo.

Dáselo con cariño, Paquito,

y te daré cocada y pan

con queso.

Cc Qq   Paco

C c   Q q   Paco

ca que qui co cu

Ca Que Qui Co Cu

cara quema Quico col

cuna casa queso quiso

Paco está en la casa.

Queta le dio un carrito

y Quico quiere quitárselo.

Dáselo con cariño,

Paquito, y te daré cocada

y pan con queso.

Afirmación de C (sonido fuerte) y Q

1. Paco quiere queso.
2. Queta come cocos.
3. Ese carrito es de Quico.
4. Esa cocada está quemada.
5. Quirino Quiñones quiere cocos.
6. *La cara está limpia.*
7. *Queta le tiene cariño a Paco.*
8. *Así es mi casita.*
9. *Come los cocos.*
10. *Queta, Quirino, Quico, Quiñones.*

Lectura en silencio

Dibuja una figura que corresponda a las siguientes palabras en el espacio que está al lado de cada una de ellas.

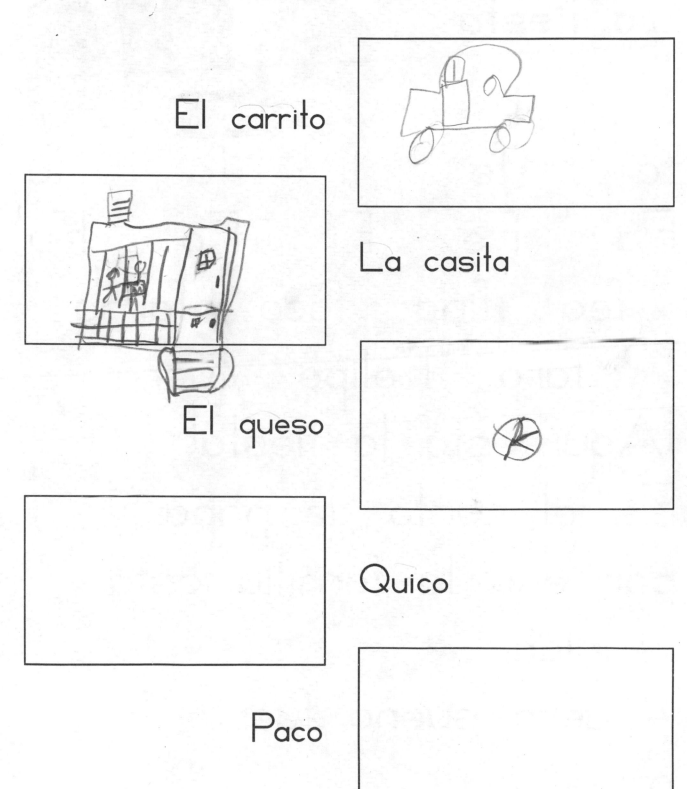

El carrito

La casita

El queso

Quico

Paco

65

La fiesta

fa   fe   fi   fo   fu

Fa   Fe   Fi   Fo   Fu

fea   fina   foco   fama

faro   Felipe   fuera

¡Aquí está la fiesta!

Es el santo de papá y
por eso la familia está
reunida.

Afuera suena fuerte la
música.

$\mathcal{F}$ f La fiesta

fa   fe   fi   fo   fu

fa   fe   fi   fo   fu

fea   fina   foco   fama

faro   Felipe   fuera

La fiesta es por el santo
de papá y la familia
está reunida.
Felipe le dio un pastel.
Afuera suena fuerte
la música.

Afirmación de la F

1 Ésta es la feria.

2. La familia está afuera.

3. Fueron todos a la fiesta.

4. Esa correa es fea.

5. Así es la fama.

6. Ese palo está fijo.

7. Fea, fijo, foco, forro.

8. Felipe fue forastero.

9. Alfonso fue famoso.

10. La niña tiene un farol.

Lectura en silencio

Contesta el siguiente cuestionario.

1. ¿Por qué se reunió la familia?

   _____

2. ¿De quién es el santo?

   _____

3. ¿Qué le dieron a papá?

   _____

4. ¿Quién se lo dio?

   _____

5. ¿Cómo está papá?

   _____

Chuchito

cho   chi   chu   che   cha

Cho Chi Chu Che Cha

chino   Chucho   chato

coche   cachucha   chapa

Chuchito fue a la casa
y la Chata fue con él.
Los mariachis tocaron
mucho. Chuchito canta.
¡Qué contentos están los
muchachos!

Ch ch   Chuchito

cho   chi   chu   che   cha
Cho   Chi   Chu   Che   Cha
chino   Chucho   chato
coche   cachucha   chapa
Chuchito fue a la casa
y la Chata fue con él.
Los mariachis tocaron
mucho. Chuchito canta.
¡Qué contentos están
los muchachos!

Afirmación de la Ch

1. Chita es mía.

2. La Chata chupa la paleta.

3. Esos chochitos son para ti.

4. El muchacho chulea a Chole.

5. Chuchito chapotea en el charco.

6. ¡Qué chico tan feo!

7. Dame un cachito de pan.

8. Chano y Chon chocan.

9. Ese perrito está echado.

10. Ese chico no es malo.

Lectura en silencio

Completa las siguientes oraciones con las palabras que se encuentran al pie de la página.

1. Fue_____a la casa.

2. La_____fue con él.

3. Chuchito se quitó la_____.

4. Los mariachis tocaron_____.

5. Los_____están contentos.

mucho   muchachos   Chuchito
Chata   cachucha

El burrito

ba   be   bi   bo   bu

Ba   Be   Bi   Bo   Bu

burro   bebe   bonito   bien

¡La fiesta está bonita!

La piñata es un burro.

Benito quiere romperla.

Después beberán atole

con tamales.

Papá baila con mamá.

Beto bebe limonada.

B b El burrito

ba be bi bo bu

Ba Be Bi Bo Bu

burro bebe bonito bien

¡Bonita está la fiesta!

La piñata es un burro.

Benito quiere romperla.

Después beberán atole

con tamales.

Papá baila con mamá.

Beto bebe limonada.

Afirmación de la B

1. El burro es un animal útil.

2. ¡Qué bonito es un burro chiquito!

3. El niño baila bien.

4. ¿Quieres un barquillo?

5. Bebe agua pura.

6. Benito es bueno.

7. Bertha es bonita.

8. Mi mamá es buena.

9. Beto tiene una barquita.

10. Beberemos limonada.

Lectura en silencio

Escribe el nombre de estos dibujos con letra cursiva. Escógelo de las palabras que están abajo.

Bertha

bebé

Benito

Barca

burrito

Un burrito   Bertha   El bebé
Benito   El barco

El gatito

ga   gue   gui   go   gu

Ga   Gue   Gui   Go   Gu

Gabino quiere un gatito porque le gustan mucho.
Quisiera que un amigo le regalara uno.
Un gatito guerroso que tenga patitas de seda.
¡Qué contento estará Gabino con su regalo!

G g   El gatito

ga   gue   gui   go   gu

Ga   Gue   Gui   Go   Gu

Gabino quiere un gatito
porque le gustan mucho.
Quisiera que un amigo
le regalara uno.
Un gatito guerroso que
tenga patitas de seda.
¡Qué contento estará
Gabino con su regalo!

G g   El gatito

ga   que   qui   go   gu

Ga   Gue   Gui   Go   Gu

Gabino quiere un gatito

porque le gustan mucho.

Quisiera que un amigo

le regalara uno.

Un gatito guerroso que

tenga patitas de seda.

¡Qué contento estará

Gabino con su regalo!

Afirmación de la G (sonido suave)

1. Ese gusano me asusta.
2. ¡Qué largo cordón!
3. La guerra es mala.
4. Me gusta la guitarra.
5. El mango me gusta.
6. Ganarás mucho dinero.
7. Águeda come merengue.
8. Me gustó mucho el guisado.
9. Te regalaré una guitarra.
10. Miguel, ésta es mi goma.

Lectura en silencio

Completa las siguientes oraciones con las palabras que están al pie de la página.

1. Me gusta el _____.
2. Gabino quiere un _____.
3. Miguel toca la _____.
4. El gatito es _____.
5. Águeda come _____.

merengues   guerroso

mango   guitarra

gatito

Juan y Julia

ja	je	ji	jo	ju
Ja	Je	Ji	Jo	Ju

Juan y Julia bailan;
juntos detienen la jícara
roja, después la colocan
en el piso.
¿Quisieras bailar así?
Sí, dijo el jefe; él
jamás pudo bailar
como Juan.

J j Juan y Julia

ja je ji jo ju
Ja Je Ji Jo Ju
Juan y Julia bailan;
juntos detienen la
jícara roja, después la
colocan en el piso.
¿Quisieras bailar así?
Sí, dijo el jefe; él
jamás pudo bailar
como Juan.

Afirmación de la J

1. El jilguero es mío.
2. Cuida tus ojos.
3. Jamás romperé mis juguetes.
4. La jaula es de oro.
5. El jacalito es mío.
6. José, Juan, Julio.
7. Baja la escalera.
8. Bailaremos juntos.
9. La jarra tiene agua.
10. Me gustan mucho los pájaros.

Lectura en silencio

Une con una línea la palabra y la figura correspondiente.

1. jilguero

2. jícara

3. jarro

4. jitomate

5. El jefe

6. Julia

7. Juan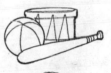

8. jacal

9. jaula

10. juguetes

Gerardo y Gilberto

general   girasol   gitano

geranio   gises   gigante

Gerardo y Gilberto son
dos muchachos guapos y
fuertes que giran
rápidamente cuando
bailan con Georgina el
baile de los gitanos.
El general y el sargento
los admiran.

ALONDRA

Gerardo
y
Gilberto

general girasol gitano
geranio gises gigante
Gerardo y Gilberto son
dos muchachos guapos
y fuertes que giran
rápidamente cuando
bailan con Georgina
el baile de los gitanos.
El general y el sargento
los admiran.

Afirmación de las sílabas Ge-Gi

1. Los girasoles son bonitos.
2. Angel quiere ser general.
3. Los gitanos cantan bien.
4. La gente gira.
5. Los gigantes son fuertes.
6. Quiero gelatinas.
7. La imagen esta bonita.
8. Este cuaderno es mágico.
9. Giran, gente, general.
10. Gerardo y Gilberto.

Lectura en silencio

Dibuja:

Un gigante

Una gallina

Un girasol

Un general

Un gato

Los zapatos de Cecilia

Za Ze Zi Zo Zu Ce Ci

za ze zi zo zu ce ci

Cecilia tiene unos zapatos
azules como el cielo; dice
Zenaida que se parecen
a los de Cenicienta.
Salió un día a jugar en el
césped y se los quitó.
Celia y Zoila los recogieron
y su mamá les dio azúcar.

Los zapatos de Cecilia

$\mathscr{Z}$ $\mathscr{z}$

za ze zi zo zu Ce Ci
za ze zi zo zu ce ci

Cecilia tiene unos zapatos azules como el cielo; dice Zenaida que se parecen a los de Cenicienta.

Salió un día a jugar en el césped y se los quitó. Celia y Zoila los recogieron y su mamá les dio azúcar.

Afirmación de la Z y C (sonido suave)

1. Zoila tiene celos.

2. El cielo es azul.

3. Iremos al cine.

4. El zopilote es feo.

5. Zacatecas tiene un zócalo.

6. Los aztecas eran adelantados.

7. Mira esas cinco tazas.

8. El zacate está verde.

9. La zorra tiene piel fina.

10. Los zuecos son de madera.

Lectura en silencio

Completa las siguientes oraciones escribiendo en la línea la palabra correcta. Escógela entre las que están abajo.

1. Los_____de Cenicienta.

2. El_____es azul.

3. Dame_____centavos.

4. Zoila baila con_____.

5. La piel de la_____es fina.

cinco   zapatos   zorra

cielo   zuecos

La vaca

ve   va   vo   vu   vi

Ve   Va   Vo   Vu   Vi

Iremos de visita al rancho a ver las vacas que están en el campo comiendo zacate verde.

– ¿Verdad Victoria que veremos a Susú y Dodi?

– No, sólo veremos a la vaca consentida.

V v   La vaca

ve   va   vo   vu   vi
Ve   Va   Vo   Vu   Vi
Iremos de visita al
rancho a ver las vacas
que están en el campo
comiendo zacate verde.
— ¿Verdad Victoria que
veremos a Susú y Dodi?
— No, sólo veremos a
la vaca consentida.

Afirmación de la V

1. Las vacas son útiles.

2. Enciende la vela.

3. El vestido es verde.

4. Siempre di la verdad.

5. Vamos de visita al rancho.

6. El vino es de uva.

7. Me gustan las uvas.

8. Los campos son verdes.

9. Las vacas nos dan leche.

10. Esta vivienda es mía.

Lectura en silencio

Completa las siguientes oraciones, escribiendo en la línea la palabra correcta. Escógela entre las que están abajo.

1. Apaga esa _____.
2. Fuimos de _____ al rancho.
3. Vemos las _____ del rancho.
4. Los campos son _____.
5. Di siempre la _____.

visita   verdes   verdad

vela   vacas

La lluvia

llo   llu   lla   lli   lle

Llo   Llu   Lla   Lli   Lle

llave   llanto   llevo   olla

La lluvia cae y Mariana
se acerca al patio,
llevando su paraguas.
Va a recoger a la
gallina y los pollitos
para llevarlos al gallinero.
¡Qué linda chiquilla!

ℒℓ ℓℓ

ℓℓu

Ll Ll   La lluvia

llo llu lla lli lle
Llo Llu Lla Lli Lle
llave llanto llevo olla
La lluvia cae y Mariana
se acerca al patio,
llevando su paraguas.
Va a recoger a la gallina
con los pollitos para
llevarlos al gallinero.
¡Qué linda chiquilla!

Afirmación de la Ll

1. Llovía fuerte.

2. Lleva el paraguas.

3. La llave es ésta.

4. Llevaba dos coches.

5. Las llantas son caras.

6. El gallo canta.

7. La gallina cacarea.

8. El niño llora.

9. ¡Cuánto llanto!

10. Los pollitos son amarillos.

Lectura en silencio

Escribe debajo de cada figura el nombre que le corresponda.

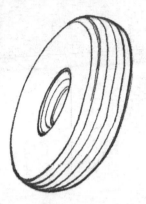

_____

_____

_____

_____

_____

_____

Hilario

he   ho   hu   ha   hi   ¡Oh!

He   Ho   Hu   Ha   Hi   ¡Ah!

hora   hace   hada   huevo

Hilario es chofer. En su
coche lleva muchos
canastos con huevos.
Acarrea huacales llenos
con higos de la huerta
de su hermano Humberto.
Hilario va a Chihuahua.

H h Hilario

he ho hu ha hi ¡Oh!
He Ho Hu Ha Hi ¡Ah!
hora hace hada huevo
Hilario es chofer. En su
coche lleva muchos
canastos con huevos.
Acarrea huacales llenos
con higos de la huerta de
su hermano Humberto.
Hilario va a Chihuahua.

Afirmación de la H

1. Las telas se hacían hilando.
2. Ahora se tejen.
3. Hilario hizo esta casa.
4. Los higos son buenos.
5. Los huacales sirven para llevar manzanas.
6. Las huertas tienen fruta.
7. Los hijos deben ser obedientes.
8. Hay huevos en esa caja.
9. Las rosas huelen bien.
10. Las hadas son hermosas.

Lectura en silencio

Contesta el siguiente cuestionario después de leer la lección anterior.

1. ¿Qué es lo que hace Hilario?

_____

2. ¿Qué lleva en su coche?

_____

3. ¿Cómo se llama el dueño del rancho?

_____

4. ¿Qué lleva Hilario en los canastos?

_____

5. ¿A dónde va Hilario?

_____

El pingüino

Güe   güe   Güi   güi

agüita   güero   paragüero

ungüento   enagüitas

El pingüino es un ave
que vive en el Polo Sur.
Cuando camina se ve
como un señor vestido
de etiqueta.
El pingüino sabe nadar
y caminar.

El pingüino

Güe güe Güi güi
agüita güero paragüero
ungüento enagüitas
El pingüino es un ave
que vive en el Polo Sur
Cuando camina se ve
como un señor vestido
de etiqueta.
El pingüino sabe nadar
y caminar.

Afirmación de las sílabas Güe-Güi

1. Toma agüita de aquí.
2. Mi amigo es güero.
3. Anita camina como pingüino.
4. El paragüero compone los paraguas.
5. Agüero, agüita, pingüino.

Lectura en silencio

Completa las siguientes oraciones escribiendo en la línea la palabra correcta. Escógela entre las que están abajo.

1. El señor_____fue al Polo Sur.

2. Vio un_____.

3. Deseó regalarle uno a su amigo _____.

4. Su amigo es de oficio_____.

5. El río tiene_____.

pingüino   Güemes   paragüero

agüita   güero

El yoyo

ye   yi   yu   ya   yo

Ye   Yi   Yu   Ya   Yo

yegua   yunta   yate   yuca

Yolanda y Yadira ya
llegaron de Yucatán.
¡Cómo juegan al yoyo!
Ayer yo jugué al yoyo
con ellas y me ayudaron
después a cortar la yerba
del jardín.

Y y   *El yoyo*

ye   yi   yu   ya   yo

Ye   Yi   Yu   Ya   Yo

yegua   yunta   yate   yuca

Yolanda y Yadira ya

llegaron de Yucatán.

¡Cómo juegan al yoyo!

Ayer yo jugué al yoyo

con ellas y me ayudaron

después a cortar la yerba

del jardín.

Afirmación de la Y

1. La yegüita es de Miguel.

2. Yo fui a Yucatán.

3. La yerba está muy alta.

4. La yunta tiene dos bueyes.

5. Ayuda siempre a tus padres.

6. Yo juego al yoyo.

7. La yegua corre.

8. Ayer caminé mucho.

9. Yo tengo un yunque.

10. Yendo por esta calle llegarás a la casa.

Lectura en silencio

Dibuja una figura que corresponda a las siguientes palabras en el espacio que está a la derecha de cada una de ellas.

Un yoyo

Un yate

Una yema

La yerba

Una yegua

Xóchitl

xe xo xu xa xi ex ox

Xe Xo Xu Xa Xe Ex Ox

examen Oaxaca éxito

En Oaxaca nació don
Benito Juárez; fue un
buen mexicano.
¡Examina su vida!
Yo soy de Texcoco,
pero Félix y Xóchitl
nacieron en Xochimilco.

X x   Xóchitl

xe xo xu xa xi ex ox

Xe Xo Xu Xa Xe Ex Ox

examen Oaxaca éxito

En Oaxaca nació don

Benito Juárez; fue un

buen mexicano.

¡Examina su vida!

Yo soy de Texcoco, pero

Félix y Xóchitl nacieron

en Xochimilco.

Afirmación de la X

1. Mi México es hermoso.
2. Fue un excelente paseo.
3. Los mexicanos somos buenos.
4. Los exámenes llegaron.
5. Xóchitl fue una reina.
6. Qué extenso es mi país.
7. ¡Viva México!
8. En Uxmal hay ruinas.
9. El fierro se oxida.
10. Vas a tener éxito.

Lectura en silencio

Completa las siguientes oraciones escribiendo en cursiva alguna de las
las palabras que están abajo.

1.- En _____ nació don
Benito Juárez.

2.- Fue un buen _____.

3.- Yo soy de _____.

4.- _____ fue reina.

5.- ¡ Viva _____ !

Xóchitl   México   Texcoco
mexicano   Oaxaca

Kk Ww

ka   ki   ke   wa   wi   we

kiosko   Walter   kilo

Wenceslao llegó cansado al kiosko, pues tuvo que caminar un kilómetro cargando la tambora y le parecía que pesaba como veinte kilos.

El kiosko parece una casita de Tokio.

K k W w

ka ki ke wa wi we

kiosco Walter kilo

Wenceslao llegó cansado

al kiosco, pues tuvo que

caminar un kilómetro

cargando la tambora y

le parecía que pesaba

como veinte kilos.

El kiosco parece una

casita de Tokio.

Afirmación de las letras K y W

1. Wilfrido es mi amigo.
2. Caminaremos diez kilómetros.
3. Washington es la capital
   de Estados Unidos.
4. Tokio está en Japón.
5. Tú caminarás dos
   kilómetros.
6. En el kiosco hay música.
7. Wenceslao llegó hasta la
   casa de Wistano.

Lectura en silencio

Completa las siguientes oraciones escribiendo en la línea las palabras que están abajo.

1. _____ llegó cansado.

2. Tuvo que caminar un_____.

3. La capital de Estados Unidos es

_____.

4. _____ está en Japón.

5. El_____ parece una casita

de_____.

kiosko   Walter

Tokio   kilómetro   Washington

Abecedario

to day is my *birth day*

yippy

Minúsculas

a b c d e f g h

i j k l m n ñ

o p q r s t u

v w x y z

Mayúsculas

A B C D E F G

H I J K L M N

Ñ O P Q R S T

U V W X Y Z

a b c d e f g h
i j k l m n ñ
o p q r s t u
v w x y z

B   G
H L J K L
Ñ O P Q R S
                              Z

Abecedario

Minúsculas

a b c d e f g h

i j k l m n ñ

o p q r s t u

v w x y z x

Mayúsculas

A B C D E F G

H I J K L M N

Ñ O P Q R S T

U V V W X Y Z

Bl y Br

	a	bla		a	bra
	e	ble		e	bre
bl	i	bli	br	i	bri
	o	blo		o	bro
	u	blu		u	bru

Bravo   breve   brinco

bronco   brújula

blanco   bledo   blindado

blondo   blusa

Bl y br

	a	bla		a	bra
	e	ble		e	bre
bl	i	bli	br	i	bri
	o	blo		o	bro
	u	blu		u	bru

Bravo   breve   brinco

bronco   brújula

blanco bledo blindado

blondo   blusa

Blanca Bravo

Blanca Bravo es amable
y tiene cabellos tan
blondos que parecen
hebras de oro.
Brinca la niña sobre
la tabla y al brincar,
su blusa vuela de tal
forma que parece una
brillante, blanca y
bella mariposa.

Blanca
Bravo

Blanca Bravo es amable
y tiene cabellos tan
blandos que parecen
hebras de oro.
Brinca la niña sobre
la tabla y al brincar,
su blusa vuela de tal
forma que parece una
brillante, blanca y
bella mariposa.

Blanca
Bravo

Blanca Bravo es amable
y tiene cabellos tan
blondos que parecen
hebras de oro.
Brinca la niña sobre
la tabla y al brincar,
su blusa vuela de tal
forma que parece una
brillante, blanca y
bella mariposa.

Blanca Bravo es amable
y tiene cabellos tan
blondos que parecen
hebras de or

Blanca Bravo

Blanca Bravo es amable y tiene cabellos tan blondos que parecen hebras de oro.

Brinca la niña sobre la tabla y al brincar, su blusa vuela de tal forma que parece una brillante, blanca y bella mariposa.

Afirmación de las sílabas

bli bre ble bra bro
bru bri bla blo blu

1. Esta cama es muy blanda.

2. La cabra brinca.

3. Hablé contigo ayer.

4. Seré breve.

5. La nena tiene cabellera blonda.

6. El caballo es bronco.

7. La blusa está limpia.

8. Las brujas no existen.

9. Yo brinqué alto.

10. Mi coche será blindado.

Lectura en silencio

Completa las siguientes oraciones escribiendo en la línea la palabra correcta.

1. Esta cama es _____.

2. Blanca es _____.

3. La nena _____.

4. El caballo es _____.

5. Las _____ no existen.

brinca   brujas   bronco

blanda   amable

Cr, cl y dr

	a	cra		a	cla		a	dra
	e	cre		e	cle		e	dre
cr	i	cri	**cl**	i	cli	**dr**	i	dri
	o	cro		o	clo		o	dro
	u	cru		u	clu		u	dru

cráneo   crema   Cristina
cromo   crudo   dragón   dril
drenaje   dromedario
Clara   Clemente   Clotilde

Cr, cl y dr

cr		cl		dr	
a	cra	a	cla	a	dra
e	cre	e	cle	e	dre
i	cri	i	cli	i	dri
o	cro	o	clo	o	dro
u	cru	u	clu	u	dru

cráneo   crema   Cristina

cromo crudo dragón dril

drenaje   dromedario

Clara Clemente Clotilde

Clara y Cristina

Clara y Cristina Crespo clavan con clavos los cromos que pintó Clemente de dragones y dromedarios.
Clotilde todavía no se acostumbra al clima.
Usa un vestido color crudo de dril.
Clara vio un alacrán.

Clara
y
Cristina

Clara y Cristina Crespo
clavan con clavos los
cromos que pintó
Clemente de dragones y
dromedarios.
Clotilde todavía no se
acostumbra al clima.
Usa un vestido color
crudo de dril.
Clara vio un alacrán.

Afirmación de las sílabas

cra cre cri cro cru
cla cle cli clo clu
dra dre dri dro dru

1. El huevo tiene clara y yema.
2. Éste es el cráneo.
3. Me gusta la crema.
4. Clemencia es mi amiga.
5. Cristián pondrá una droguería.
6. Este clima pudre la fruta.
7. A Clotilde le gustan los dromedarios.
8. Ese reloj es de cromo.
9. En el parque si hay drenaje.
10. El dril es de color crudo.

Lectura en silencio

Dibuja arriba de cada nombre lo que se te indica.

clavos   Clara

dragón   cráneo

cristal

Fr y fl

	a	fra		a	fla
	e	fre		e	fle
fr	i	fri	fl	i	fli
	o	fro		o	flo
	u	fru		u	flu

francés	fresas	frío
frondoso	fruta	flan
fleco	aflicción	flojo
fluvial	flores	franela

fr y fl

fr	a	fra	fl	a	fla
	e	fre		e	fle
	i	fri		i	fli
	o	fro		o	flo
	u	fru		u	flu

francés   fresas   frío
frondoso   fruta   flan
fleco   aflicción   flojo
fluvial   flores   franela

Francisco

Me gusta ver a Francisco
porque aunque está flaco
está fuerte. Come mucha
fruta de los frondosos
árboles, fresas frescas
y muchos frijoles.
Francisco no es flojo.
En su casa corta flores
y limpia los muebles
con una franela.

Francisco

Me gusta ver a Francisco porque aunque esté flaco está fuerte. Come mucha fruta de los frondosos árboles, fresas frescas y muchos frijoles.

Francisco no es flojo, en su casa corta flores y limpia los muebles con una franela.

Afirmación de las sílabas

fra fre fri fro fru
fla fle fli flo flu

1. París está en Francia.
2. Flavio hace frisos.
3. Las fresas son rojas.
4. El fleco del rebozo es blanco.
5. No te aflijas así.
6. Las frutas son deliciosas.
7. Las flores son de mamá.
8. Una fricción para la torcedura.
9. No te aflijas, te daré flores.
10. Afrontaremos el peligro.

Lectura en silencio

Completa las siguientes oraciones.

1. Este árbol es_____.

2. La_____es deliciosa.

3. _____corta_____.

4. Las_____son rojas.

5. _____es un niño.

fresas   flores   Flavio
fruta   frondoso   Francisco

Gr y gl

	a	gra		a	gla
	e	gre		e	gle
gr	i	gri	gl	i	gli
	o	gro		o	glo
	u	gru		u	glu

gracias   alegre   grillos

grosella   gruta   glacial

inglés   glicerina   globo

iglú   regla   Gloria

Gr y gl

		a	gra				a	gla
		e	gre				e	gle
gr		i	gri		gl		i	gli
		o	gro				o	glo
		u	gru				u	glu

gracias alegre grillos
grosella gruta glacial
inglés glicerina globo
iglú regla Gloria

Graciela

Graciela Tagle sí sabe
hablar inglés; también le
gusta arreglar su cabello
tan bonito, que se ve
muy graciosa.
Gloria fue al campo y
en el camino vio una
gran gruta gris.
Los grillos cantaban
alegremente.

Graciela

Graciela Tagle sí sabe hablar inglés; también le gusta arreglar su cabello tan bonito, que se ve muy graciosa.
Gloria fue al campo y en el camino vio una gran gruta gris.
Los grillos cantaban alegremente.

Afirmación de las sílabas

gra gre gri gro gru
gla gle gli glo glu

1. Daremos alegremente las gracias.

2. Los grillos cantan en la gruta.

3. En Inglaterra se habla inglés.

4. Las grutas son frías.

5. Gloria te dará esta granada.

6. Deglutir es lo mismo que tragar.

7. Graciela es graciosa.

8. El perro gruñe.

Lectura en silencio

Completa las siguientes oraciones.

1. En _____ se habla inglés.

2. Los _____ cantan en la _____.

3. Los _____ son _____.

4. _____ es _____.

5. _____ te dará esta _____.

globos   Gloria   granada
graciosa grandes Graciela
Inglaterra gruta grillos

Pl y pr

	a	pla		a	pra
	e	ple		e	pre
pl	i	pli	pr	i	pri
	o	plo		o	pro
	u	plu		u	pru

prado	presta	primo
pronto	prudente	plata
pleito	plisado	plomo
pluma	premio	plan

Pl y pr

	a	pla		a	pra
	e	ple		e	pre
pl	i	pli	pr	i	pri
	o	plo		o	pro
	u	plu		u	pru

prado   presta   primo

pronto   prudente   plata

pleito   plisado   plomo

pluma   premio   plan

Plácido

Plácido dice que lo primero es aprender a leer y presta atención a lo que el maestro explica. En el pliego de papel sin raya hace una plana de caligrafía y su primo cumple la promesa de darle un premio. Prudencio es aplicado.

Plácido

Plácido dice que lo primero es aprender a leer y presta atención a lo que el maestro explica. En el pliego de papel sin raya hace una plana de caligrafía y su primo cumple la promesa de darle un premio. Prudencio es aplicado.

Afirmación de las sílabas

pra pre pri pro pru
pla ple pli plo plu

1. Plácido es el primero de la clase.

2. Es muy aplicado.

3. Nunca presta la pluma porque siempre la tiene ocupada.

4. Tiene un traje color plomo.

5. Es muy prudente.

6. Nunca tiene pleitos.

7. Cuando promete algo cumple.

8. Le gusta ver al prestidigitador.

9. Después quiere practicar lo que vio.

10. Pero sólo logra plegar el papel sin poder hacer la suerte.

Lectura en silencio

Escribe la sílaba que falta a cada palabra. Escógela entre las sílabas que están a la derecha.

1. _____cido   (Plá, Pre, Pli)

2. _____dente   (pri, pro, pru)

3. a_____nder   (plu, pre, ple)

4. _____ma   (pra, plo, plu)

5. _____mesa   (pla, pro, pla)

6. _____mo   (plo, pre, pru)

7. _____mo   (pli, pla, pri)

8. _____ito   (plo, ple, pro)

9. a_____cado   (pra, pli, pre)

10. _____do   (pli, pra, pru)

Tr y tl

	a	tra		a	tla
	e	tre		e	tle
tr	i	tri	tl	i	tli
	o	tro		o	tlo
	u	tru		u	tlu

trampa   tren   trineo

trueno   tlapalería   atleta

Atlixco   pentatlón   tronco

tlacuache   Atlántico

Tr y tl

	a	tra		a	tla
	e	tre		e	tle
tr	i	tri	tl	i	tli
	o	tro		o	tlo
	u	tru		u	tlu

trampa tren trineo
trueno tlapalería atleta
Atlixco pentatlón tronco
tlacuache Atlántico

Trini

Trini mira en la vitrina una primorosa muñeca de trapo que tiene trenzas; trata de comprarla pero es cara porque la trajeron de Atlixco.

También ve trompos, trenes y carros de patrulla, pero eso vale el triple del valor de la muñeca.

Trini

Trini mira en la vitrina una primorosa muñeca de trapo que tiene trenzas; trata de comprarla pero es cara porque la trajeron de Atlixco.

También ve trompos, trenes y carros de patrulla, pero eso vale el triple del valor de la muñeca.

Afirmación de las sílabas

tra tre tri tro tru
tla tle tli tlo tlu

1. Trini quiere un trineo.

2. Nunca hagas trampas.

3. ¿Tienes trenzas largas?

4. Los truenos me asustan.

5. Ese tlacuache es feo.

6. El carro de la patrulla es azul.

7. Te trajeron dos trompos.

8. La trucha es sabrosa.

9. Los atletas son fuertes.

10. Atlixco está en Puebla.

Lectura en silencio

Contesta las siguientes preguntas:

1. ¿Dónde vio Trini a la muñeca?

_____

2. ¿De qué está hecha la muñeca?

_____

3. ¿De dónde la trajeron?

_____

4. ¿Qué más ves en la vitrina?

_____

_____

Lectura en silencio

Adivina buen adivinador:

1. Soy de barro
   muy adornada por fuera
   y llena de fruta;
   me rompes muy contento.

   Soy_____

2. En mi interior
   guardas tu dinero;
   me cuidas mucho;
   a veces soy de barro.

   Soy_____

3. Nadie te quiere como yo;
   te cuido y te ayudo en todo.

   ¿Quién soy?_____

4. Tengo dos alas grandes;
   soy de fierro; las personas
   viajan en mí por el aire.

   Soy _____

5. Llevo dinero a la casa;
   te cuido y te educo;
   trabajo para que no falte nada;
   te doy mi apellido.

   Soy_____

Lectura en silencio

Adivina buen adivinador:

1. Cuido la casa;
   soy travieso y
   a veces muerdo;
   me llamo Dodi.

             ¿Quién soy?_____

2. Duermo todo el día,
   acompañando a mi ama
   atrapo ratones,
   me llamó Susú.

             ¿Quién soy?_____

3. Soy la mamá de tu papá.

             ¿Quién soy?_____

4. Digo mamá,
   me duermo,
   pero no como ni camino,
   soy un juguete.

             ¿Quién soy?_____

5. Soy el papá de tu mamá.

             ¿Quién soy?_____

SEGUNDA PARTE

ANA MARÍA

Ana María es una niña que apenas cuenta con un año. Da gusto verla llena de salud.

Está preciosa con sus ojos azules como el cielo o como el mar, y su cabello rubio, dorado y rizado forma argollitas que parecen de oro.

Su carita es sonrosada y siempre está risueña. En sus mejillas se forman dos hoyuelos; por eso su papá cuando la ve, la abraza, la besa y le dice:

"Mi muñeca, tesoro mío".

Pero nada más bonito que verla caminar; se tambalea como si fuese un pingüino.

Si la conocieras te encantaría.

MARÍA ISABEL

María Isabel cuenta apenas con tres años de edad.

Es una niña sana y encantadora por su buen carácter.

Nunca se le ve llorar. Solamente cuando sus hermanitos se van a la escuela y ella se queda, llora porque quiere ir y no la llevan.

Su hermanita le dice: – Estás chiquita, por eso no te llevamos, pero el año entrante ya irás con nosotros. Te presto mi muñeca chillona.

Y ahí se va la niña corriendo a coger la muñeca que arrulla con afán, y secándose los ojitos con el dorso de la gordita mano, canta a media voz y media lengua:

A la rorro niña a la rorrorró; duérmete mi niña, duérmete ya.

MIS DEDITOS

"Buenos días, hermanos míos,
contento dice el pulgar,
y el índice y el cordial
se inclinan a contestar.

Luego el anular sonriente
una caravana hará,
y el meñique consentido
la cabeza inclinará."

Éstos son los cinco hermanitos; todos juntos forman mi mano.

No pueden separarse y no hacen el trabajo uno por uno, sino todos juntos.

Siempre están unidos y se aman mucho.

Debemos cuidarlos, traerlos siempre muy limpiecitos y vivir como ellos, unidos con nuestros hermanitos.

MAMACITA

En esta linda canastita te traigo frescas rosas, lindos nomeolvides y todo mi corazón.

Te prometo, mamacita, portarme siempre bien para verte sonreir contenta.

Te amo, mamacita, y a tu lado segura me siento. Madrecita encantadora, no me importa lo que pase, tú me cuidas y me mimas y me das todo tu amor; es por eso mamacita, que te adoro,

Yo te adoro, mamacita,
y te doy todo mi amor;
y en este día,
lleno de alegría,
te beso con ardor.

Yo te quiero, madrecita,
y te tengo gratitud;
y al mirarte cariñosa,
al mirarte bondadosa,
yo te doy todo mi amor.

LA ABUELITA

¡Qué linda es mi abuelita! Con la cara sonrosada y la cabeza tan blanca que parece de algodón.

Adoro a mi abuelita y ella me mima y me quiere mucho. Todos los días la voy a ver; ella me recibe contenta y me besa.

Me siento en una sillita junto a su gran sillón y contentas platicamos; me cuenta cuentos, me da dulces, me acaricia y me enseña mil cosas.

Siempre la estoy molestando con la misma pregunta.

—Abuelita dime: ¿Por qué tienes la cabeza tan blanca? Ella me responde:

—Mi hijita, tengo la cabeza blanca por el polvo del camino de la vida que se me ha quedado ahí, algo que tú no entiendes mi chiquilla; pero cuando crezcas lo entenderás. Y sonriendo me besa. ¡Cómo quiero a mi abuelita!

EL ASEO

Carmelita es traviesa, vivaracha y muy simpática. Tiene cabello castaño, hecho largas trenzas, y un moño en cada una de ellas; los ojitos son de color café y las mejillas tan sonrosadas como amapolitas o como dos manzanas.

Pero lo mejor de ella es que siempre está limpia; le gusta mucho asearse, bañarse, peinarse, cortarse las uñas y traerlas muy limpiecitas; dar lustre a los zapatos, lo mismo que a sus dientes, que se lava tres veces al día.

Por eso es bonita carmelita, por limpia.

¡Niños, tomad ejemplo de Carmelita!

CABALLITO BLANCO

Tengo un caballito blanco
con la cola muy larguita,
las orejas paraditas,
y la silla de montar.

¡Cómo quiero yo al caballo
que me lleva siempre al campo,
con un paso consentido,
o con galope tendido
y un alegre relinchar!

EL RANCHERO

Gabriel sueña con ser ranchero,
tener un sombrero de anchas alas
de charro, un pantalón de cuero
y al cinto sus dos pistolas.
Tener un caballo negro,
un gran maizal,
un granero y un trigal.

Una gran casa,
un jardín con muchas flores,
una huerta y árboles frutales,
un establo con las vacas
y gallinas en los corrales.
Todo esto tendrá Gabriel si
cumple su trabajo fiel.

LOS DEPORTISTAS

Debes practicar algún deporte para parecerte a estos jóvenes, que algún día representarán a nuestro país en otros lejanos países amigos, y que le darán fama y honra a nuestra patria.

Estos hombres que ves, tienen músculos de acero y están llenos de salud, porque hacen ejercicios diariamente, se bañan, comen bien y no fuman ni beben vino, por eso es que su cuerpo se ha desarrollado sanamente; se les puede llamar atletas.

El PRIMERO monta a caballo, el SEGUNDO nada, el TERCERO lanza la bala, el CUARTO juega pelota, el QUINTO hace ejercicios en las paralelas, el SEXTO corre, el SÉPTIMO salta, el OCTAVO lanza la jabalina, el NOVENO boxea y el DÉCIMO corre con obstáculos.

¡Niños! ¡Sean como estos jóvenes que tienen el cuerpo y la mente sanos!

HIDALGO

Cual padre amoroso que cuida a sus hijos con amor y sacrificio, así fue el cura de Dolores, don Miguel Hidalgo y Costilla, para nuestra patria.

Él amó profundamente a los indios y los enseñó a cultivar los campos, a tejer telas, a fabricar loza, a cultivar el gusano de seda, y los protegió contra los españoles.

Adoraba a la patria; por eso es que dio el grito de Independencia, dándole ánimo a todos los mexicanos para luchar por la libertad y para quitarnos la opresión española, y que México fuese libre e independiente. Por eso es que le han dado el nombre de "Padre de la Patria".

Debes recordar y amar a tan venerable anciano.

BENITO JUÁREZ

Nació el mismo día que nace la primavera; podríamos decir que era esto como un símbolo, porque estaba destinado a hacer florecer a nuestra patria.

Lo mismo que la primavera hace con el universo, Benito Juárez lo hizo con nuestro México: le dio vida, le dio brotes nuevos, alegría y los hizo renacer, dándole un lugar en el mundo.

Aunque creció desamparado, su gran amor al estudio y sus grandes ideas lo hicieron inmenso hasta merecer el título de "Benemérito de las Américas".

Debes siempre recordar su frase célebre: "El respeto al derecho ajeno es la paz", y que su vida ejemplar te sirva de guía.

LA BANDERA

Símbolo de la patria
es mi bandera querida;
mi alma enardecida
sus tres colores admira.

Verde, como los campos sembrados.
Blanco, de los volcanes la nieve helada.
Rojo como la sangre regada
de los valientes soldados.

Símbolo de mi México
es mi bandera adorada,
y desde muy chico
respeto mi prenda amada.

LA PATRIA

Gerardo quiere ser un buen ciudadano. Tiene tanto amor a la patria que siempre está estudiando, porque dice que siendo un hombre útil, aunque no sea soldado, honrará a la patria.

Nunca se enoja, nunca grita y siempre obedece a los buenos consejos de sus padres y maestros.

Su país es México, aquí nació y aquí se ha criado. Siempre admira su cielo azul, sus claros días y esos dos grandes volcanes que se ven allá a los lejos llenos de nieve.

Además, ve los grandes edificios que hay en la ciudad y los majestuosos monumentos, como la Columna de la Independencia, que nos recuerda a nuestros héroes.

"¡Qué bueno es ser mexicano!" exclama lleno de orgullo al ver tantas bellezas, y canta nuestro Himno Nacional.

HIMNO NACIONAL

Mexicanos al grito de guerra
el acero aprestad y el bridón,
y retiemble en sus centros la tierra
al sonoro rugir del cañón.

Ciña, ¡oh Patria!, tus sienes de oliva
de la paz el arcángel divino,
que en el cielo tu eterno destino
por el dedo de Dios se escribió.

Mas si osare un extraño enemigo
profanar con su planta tu suelo
piensa ¡oh Patria querida! que el cielo
un soldado en cada hijo te dio.

La edición, composición, diseño e impresión de esta obra, fueon realizados
bajo la supervisión de GRUPO NORIEGA EDITORES
Balderas 95, Col. Centro. México, D.F. C.P. 06040
Tel.: (5)521 48 49 y (5)512 30 09   Fax: (5)512 29 03 y (5)510 94 15
Impreso en Litografía Magnograf, S.A. de C.V. • 19417427 000 07 99 695
e-mail:limusa@noriega.com.mx • www.noriega.com.mx